D1416520

Le chiffre cinq

Texte de Jane Belk Moncure
Adaptation française de Chrystiane Harnois
Illustrations de Linda Hohag

THE CHILD'S WORLD

ISBN 0-7172-3094-5

Dépôt légal 4e trimestre 1994
Bibliothèque nationale du Québec

Imprimé aux États-Unis

Le chiffre cinq

cinq
Voici Petit
5

Petit  vit dans la maison du cinq.

Elle a cinq pièces. Compte-les.

Chaque jour, Petit cinq part en promenade.

Un jour, il va dans son jardin.
Il trouve des carottes. Combien?

Au moment où il arrache les carottes,

cinq lapins arrivent
en bondissant.

Il donne une carotte à chaque lapin.

Les lapins mangent les carottes. Puis ils disent, «Jouons à chat.»

Petit

joue avec eux. «Je vais vous attraper», dit-il.

«Non!» disent les lapins. Deux lapins sautent dans leur terrier. Combien en reste-t-il?

Petit court plus vite,

mais les trois autres lapins
disparaissent
aussi
dans
le
terrier.

Alors combien en reste-t-il maintenant?

Le soleil est radieux. Petit a chaud.

«Je sais comment me rafraîchir», dit-il.
Il fait cinq bonds jusqu'à la plage.

Petit Cinq enlève deux souliers,

deux chaussettes

et une salopette.

Combien de choses a-t-il enlevées?

Puis Petit construit un château de sable et le décore de coquillages. Combien?

Des petits crabes arrivent en courant. Combien?

«Je vais vous attraper», dit Petit

Il court, mais les crabes courent plus vite.
Trois vont se cacher dans le château.
Combien en reste-t-il?

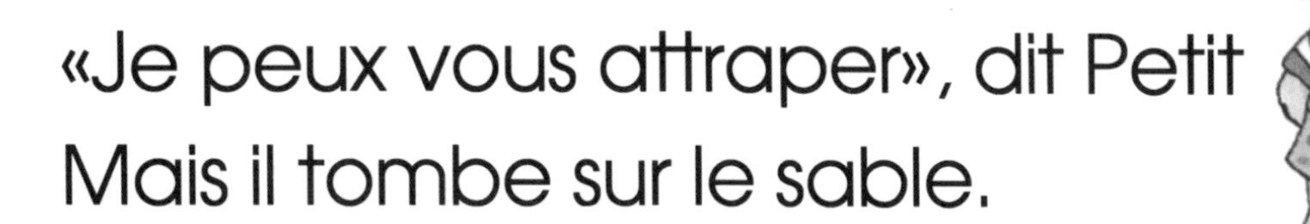

«Je peux vous attraper», dit Petit
Mais il tombe sur le sable.

Les deux derniers crabes se cachent dans
le sable. Alors combien en reste-t-il?

Petit va ensuite dans l'eau.

Il voit une étoile de mer sur un rocher.

Il la ramasse et compte ses bras. Combien en a-t-elle?

«Tu as plus de bras que moi», dit-il. Combien en a-t-elle de plus?

À ce moment, d'autres étoiles de mer grimpent sur le rocher. Combien?

Celle qu'il tient dans sa main est triste.

Alors Petit  la remet dans l'eau.

Combien y a-t-il d'étoiles de mer joyeuses?

Petit
cinq
5
retourne sur la plage.
cinq
5
Il trouve une barque...

deux rames...
un filet de pêche...
et une canne à pêche.
Combien de choses trouve-t-il?

Petit remet alors ses vêtements pour aller pêcher.

Combien de poissons y a-t-il autour de la barque?

«Ça y est!» s'écrie Petit Cinq.
«Un poisson pour moi!»

Combien reste-t-il de poissons dans l'eau?

«Hourra! Deux poissons pour moi!» dit Petit Cinq.

Combien reste-t-il de poissons?

«J'en ai maintenant trois», dit-il.

Combien reste-t-il de poissons à attraper?

«Un autre! J'ai attrapé quatre poissons!»

Il en reste combien maintenant?

Puis Petit  attrape le dernier poisson!
«Cinq poissons pour moi!» dit-il.

Mais les poissons sont tristes.

«Je vais vous libérer», dit Petit

Il ouvre la cage.

Combien de poissons s'éloignent à la nage?

Combien en reste-t-il?

«Tu peux partir aussi», dit Petit Cinq.

Et le dernier poisson s'en va.

Combien de poissons sautent de joie?

Additionnons avec Petit

$3 + 2 = 5$

$2 + 3 = 5$

$4 + 1 = 5$

Peux-tu trouver d'autres additions?

Soustrayons avec Petit

 –  = 

5 – 2 = 3

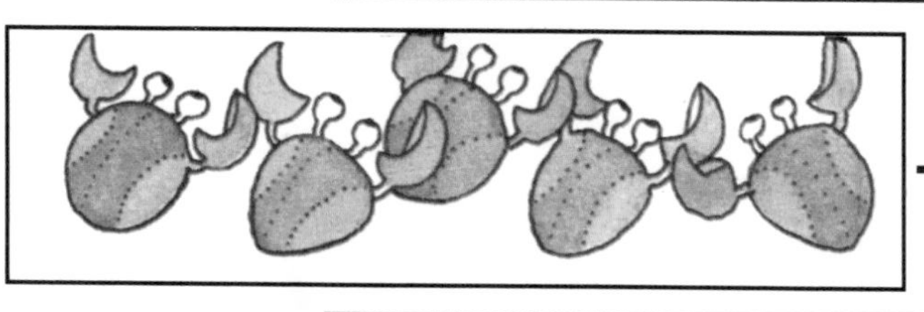 – 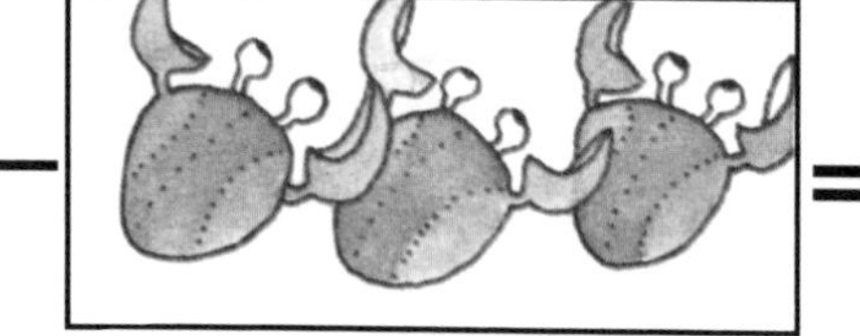 = 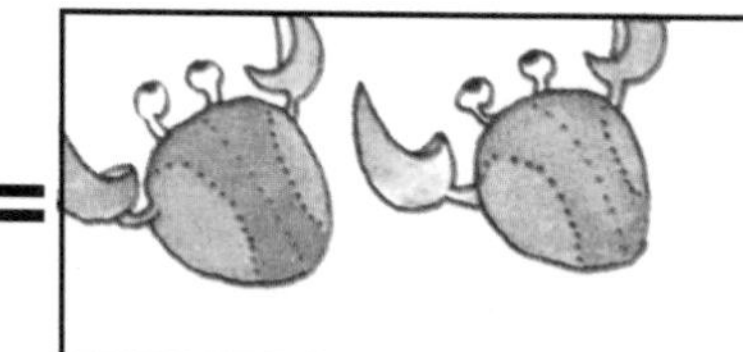

5 – 3 = 2

 –  = 

5 – 4 = 1

À toi de trouver d'autres soustractions.

«Regarde, je sais écrire», dit Petit 5. Il fait le chiffre 5 de cette façon:

Il écrit le chiffre en lettres comme ceci:

Tu peux les écrire dans l'air avec ton doigt.